韓文公文抄卷之三

錢豊寰曰味其書其有所指乎故詞多怨誹

上考功崔虞部書

昌黎公遇而不遇其書如此

愈不肖行能誠無可取行已頗僻與時俗異態抱愚守迷固不識仕進之門廼與羣士爭名競得失行人之所甚鄙求人之所甚利其爲不可雖童昏實知之如執事者不以是爲念援之幽窮之中推之高顯之上是知其文之或可而不知其人之莫可也知其人之或可而不知其時之莫可也既以自咎又歎執事

者所守異於人人之廉耳任目華實不兼故有所進故有所退且執事始考文之明日浮囂之徒已相與稱曰某得矣某得矣問其所從來必言其有自一日之間九變其說凡進士之應此選者三十有二人其所不言者數人而已而愈在焉及執事既上名之後三人之中其二人者固所傳聞矣華實兼者也果竟得之而又升焉其一人者則莫之聞矣實與華違行與時乖果竟退之如是則可見時之所與者時之所不與者之相遠矣然愚之所守竟非偶然故不可變

凡在京師八九年矣足不跡公卿之門名不譽於大
夫士之口始者謬爲今相國所第此時惟念以爲得
失固有天命不在趨時而偃仰一室嘯歌古人今則
復疑矣未知夫天竟如何命竟如何由人乎哉不由
人乎哉欲事干謁則患不能小書困於投刺欲學爲
佞則患言訥詞直卒事不成徒使其躬儳焉而不終
日是以勞思長懷中夜起坐度時揣已廢然而返雖
欲從之末由也已又常念古之人日已進今之人日
已退夫古之人四十而仕其行道爲學旣已大成而

又之死不倦故其事業功德老而益明死而益光故
詩曰雖無老成人尚有典刑言老成之可尚也又曰
樂只君子德音不已謂死而不亡也夫今之人務利
而遺道其學其問以之取名致官而已得一名獲一
位則棄其業而役役於持權者之門故其事業功德
日以忘月以削老而益昏死而遂亡愈今二十有六
矣距古人始仕之年尚十四年豈爲晚哉行之以不
息要之以至死不有得於今必有得於古不有得於
身必有得於後用此自遺且以爲知已者之報執事

以爲何如哉其信然否也今所病者在於窮約無僦屋賃僕之資無緼袍糲食之給驅馬出門不知所之斯道未喪天命不欺豈遂殆哉豈遂困哉竊惟執事之於愈也無師友之交無久故之事無顔色言語之情卒然振而發之者必有以見知爾故盡暴其所志不敢以默又懼執事多在省非公事不敢以至是則拜見之不可期獲侍之無時也是以進其説如此庶執事察之也

錢豈褱曰前半辯已不信佛後半明已生平喜闢佛而末只以一句點入前意妙絕

與孟尚書書

翻覆變幻昌黎書當以此為第一

愈白行官自南廻過吉州得吾兄二十四日手書數番忻悚兼至未審入秋來眠食何似伏惟萬福來示云有人傳愈近少信奉釋氏此傳之者妄也潮州時有一老僧號大顛頗聰明識道理遠地無可與語者故自山召至州郭畱十數日實能外形骸以理自勝不為事物侵亂與之語雖不盡解要自胷中無滯礙以為難得因與來往及祭神至海上遂造其廬及來

袁州畱衣服為別乃人之情非崇信其法求福田利

（佛畢竟在福田立脚）

（退之論）

益也孔子云丘之禱久矣凡君子行己立身自有法度聖賢事業具在方冊可效可師仰不愧天俯不愧人內不愧心積善積惡殃慶自各以其類至何有去聖人之道舍先王之法而從夷狄之教以求福利也詩不云乎愷悌君子求福不回傳又曰不為威惕不為利疚假如釋氏能與人為禍祟非守道君子之所懼也況萬萬無此理且彼佛者果何人哉其行事類（正大的）君子邪小人邪若君子也必不妄加禍於守道之人（當）

如小人也其身已死其鬼不靈天地神祇昭布森列非可誣也又肯令其鬼行胷臆作威福於其間哉進退無所據而信奉之亦且惑矣且愈不助釋氏而排之者其亦有說孟子云今天下不之楊則之墨楊墨交亂而聖賢之道不明則三綱淪而九法斁禮樂崩而夷狄横幾何其不爲禽獸也故曰能言距楊墨者皆聖人之徒也楊子雲云古者楊墨塞路孟子辭而闢之廓如也夫楊墨行正道廢且將數百年以至於秦卒滅先王之法燒除其經坑殺學士天下遂大亂

及秦滅漢興且百年尚未知修明先王之道其後始除挾書之律稍求亡書招學士經雖少得尚皆殘缺十亡二三故學士多老死新者不見全經不能盡知先王之事各以所見爲守分離乖隔不合不公二帝三王羣聖人之道於是大壞後之學者無所尋逐以至於今泯泯也其禍出於楊墨肆行而莫之禁故也孟子雖賢聖不得位空言無施雖切何補然賴其言而今學者尚知宗孔氏崇仁義貴王賤霸而已其大經大法皆亡滅而不救壞亂而不收所謂存十一於

千百安在其能廓如也然向無孟氏則皆服左衽而言侏離矣故愈嘗推尊孟氏以爲功不在禹下者爲此也漢氏已來群儒區區修補百孔千瘡隨亂隨失其危如一髮引千鈞緜緜延延寖以微滅於是時也而唱釋老於其間鼓天下之衆而從之嗚呼其亦不仁甚矣釋老之害過於楊墨韓愈之賢不及孟子孟子不能救之於未亡之前而韓愈乃欲全之於已壞之後嗚呼其亦不量其力且見其身之危莫之救以死也雖然使其道由愈而粗傳雖滅死萬萬無恨天

自且愈

不助釋氏至此十數轉抑揚反覆如龍蛇

地鬼神臨之在上質之在傍又安得因一摧折自毀其道以從於邪也籍湜輩雖屢指教不知果能不叛去否辱吾兄眷厚而不獲承命惟增慚懼死罪死罪

繞咳轉本事

愈再拜

古來書自司馬子長答任少卿後獨韓昌黎爲工而此書尤昌黎佳處

與鳳翔刑部尚書書

與于襄陽書同意

愈再拜布衣之士身居窮約不借勢於王公大人則無以成其志王公大人功業顯著不借譽於布衣之士則無以廣其名是故布衣之士雖甚賤而不諂王公大人雖甚貴而不驕其事勢相須其先後相資也今閤下爲王爪牙爲國藩垣威行如秋仁行如春戎狄棄兵而遠遁朝廷高枕而不虞是豈負大丈夫平生之志願哉豈負明天子非常之顧遇哉赫赫乎洸

洸乎功業逐日以新名聲隨風而流宜乎讙呼海隅高談之士奔走天下慕義之人使或願馳一傳或願操一戈紉君於唐虞收地於河湟然而未至乎是者蓋亦有說云豈非待士之道未甚厚遇士之禮未甚優請粗言其事閤下試詳而聽之夫士之來也必有求於閤下夫以貧賤而求於富貴正其宜也閤下之財不可以徧施于天下在擇其人之賢愚而厚薄等級之可也假如賢者至閤下乃一見之愚者至不得見焉則賢者莫不至而愚者日遠矣假如愚者至閤

下以千金與之賢者至亦以千金與之則愚者莫不至而賢者日遠矣欲求得士之道盡於此而已欲求士之賢愚在於精鑒博采之而已精鑒於已固已得其十七八矣又博采於人百無一二遺者焉若果能是道愈見天下之竹帛不足書閤下之功德天下之金石不足頌閤下之形容矣愈也布衣之士也生七歲而讀書十三而能文二十五而擢第於春官以文名於四方前古之興亡未嘗不經於心也當世之得失未嘗不畱於意也常以天下之安危在邊故六月

于邁來觀其師及至此都徘徊而不能去者誠悅閤下之義願少立於堦墀之際望見君子之威儀也居十日而不敢進者誠以左右無先為容懼閤下以衆人視之則殺身不足以滅耻徒悔恨於無窮故先此書序其所以來之意閤下其無以為狂而以禮進退之幸甚幸甚

錢豊褱曰僅二百餘字而驚湍怒濤雜出其閒洞庭岳陽之勝止是耳

應科目時與人書

空中樓閣其自擬處奇而其文亦奇

月日愈再拜天池之濱大江之濆曰有怪物焉（突起）蓋非常鱗凡介之品彙匹儔也其得水變化風雨上下于天不難也其不及水蓋尋常尺寸之閒耳無高山大陵曠途絕險爲之關隔也然其窮涸不能自致乎水爲獱獺之笑者蓋十八九矣如有力者哀其窮而運轉之蓋一舉手一投足之勞也然是物也負其異於衆也且曰爛死於沙泥吾寧樂之若俛首帖耳搖尾（一篇譬喻六箇）

（轉換都只數句）而乞憐者非我之志也是以有力者遇之熟視之若無覩也其死其生固不可知也今又有有力者當其前矣聊試仰首一鳴號焉庸詎知有力者不哀其窮而忘一舉手一投足之勞而轉之淸波乎其哀之命（句句抱）也其不哀之命也知其在命而且鳴號之者亦命也（前句句刺心）

愈今者實有類於是是以忘其疎愚之罪而有是說焉閣下其亦憐察之（一句收）

錢豐寰曰極鍛鍊極洗刷是舉業之宗

與陳給事書

洗刷工而調句佳甚有益於初進者

愈再拜愈之獲見於閤下有年矣始者亦甞辱一言之譽貧賤也衣食於奔走不得朝夕繼見其後閤下位益尊伺候於門牆者日益進夫位益尊則賤者日隔伺候於門牆者日益進則愛博而情不專愈也道不加修而文日益有名夫道不加修則賢者不與文日益有名則同進者忌始之以日隔之疏加之以不專之望以不與者之心聽忌者之說由是閤下之庭無愈之迹矣去年春亦甞一進謁於左右矣温乎其容若加其新也屬乎其言若閔其窮也退而喜也以告於人其後如東京取妻子又不得朝夕繼見及其還也亦甞一進謁於左右矣邈乎其容若不察其愚也悄乎其言若不接其情也退而懼也不敢復進今則釋然悟翻然悔曰其邈也乃所以怒其來之不繼也其悄也乃所以示其意也不敏之誅無所逃避不敢遂進輒自疏其所以并獻近所爲復志賦已下十首爲一卷卷有標軸送孟郊序一首生紙寫不加裝

飾。皆有楷字注字處。急於自解而謝。不能竢更寫。閣下取其意而略其禮可也。

邵寶曰句法頓挫亦覺新奇

閔午塘曰此文如蛛絲馬跡牽連不斷是一氣呵成文字

錢豐寰曰樓閣重重似貫結構然一氣呵成有建瓴之勢

與于襄陽書

前半瑰瑋游泳後半婉戀凄切

七月三日將仕郎守國子四門博士韓愈謹奉書尚書閣下士之能享大名顯當世者莫不有先達之士負天下之望者爲之前焉士之能垂休光照後世者亦莫不有後進之士負天下之望者爲之後焉莫爲之前雖美而不彰莫爲之後雖盛而不傳是二人者未始不相須也然而千百載乃一相遇焉豈上之人無可援下之人無可推歟何其相須之殷而相遇之踈也其故在下之人負其能不肯諂其上上之人負其位不肯顧其下故高材多戚戚之窮盛位無赫赫之光是二人者之所爲皆過也未嘗干之不可謂上無其人未嘗求之不可謂下無其人愈之誦此言久矣未嘗敢以聞於人側聞閣下抱不世之才特立而獨行道方而事實卷舒不隨乎時文武惟其所用豈愈所謂其人哉抑未聞後進之士有遇知於左右獲禮於門下者豈求之而未得耶將志存乎立功而事專乎報主雖遇其人未暇禮耶何其宜聞而久不聞

〔洗發〕〔挽上生下〕〔已上凡六轉如轉〕〔蓬〕〔冷〕

也愈雖不才其自處不肯後於恒人閤下將求之而
未得歟古人有言請自隗始愈今者惟朝夕芻米僕
賃之資是急不過費閤下一朝之享而足也如曰吾
志存乎立功而事專乎報主雖遇其人未暇禮焉則
非愈之所敢知也世之齪齪者既不足以語之磊落
奇偉之人又不能聽焉則信乎命之窮也謹獻舊所
爲文一十八首如賜覽觀亦足以知其志之所存

錢豐寰曰疎秀沖夷近歐文矣

錢豐寰曰鷹四人看他下子皆有分寸

與祠部陸員外書

唐時主司取士於試文外又擇行誼衆聞望

故昌黎之為文如此

執事好賢樂善孜孜以薦進良士明白是非爲巳任方今天下一人而已愈之獲幸於左右其足跡接於門牆之間陞乎堂而望乎室者亦將一年於今矣念慮所及輒欲不自疑外竭其愚而道其志况在執事之所孜孜爲巳任者得不少助而張之乎誠不自識其言之可采與否其事則小人之事君子盡心之道

也天下之事不可遽數又執事之志或有待而爲未敢一二言也今但言其最近而切者爾執事之與司貢士相知誠深矣彼之所望於執事執事之所以待乎彼者可謂至而無間疑矣彼之職在乎得人執事之志在乎進賢如得其人而授之所謂兩得其求順乎其必從也執事之知人其亦博矣夫子之言曰舉爾所知然則愈之知者亦可言巳文章之尤者有侯喜者侯雲長者喜之家在開元中衣冠而朝者兄弟五六人及喜之父仕而不達棄官而歸喜率兄弟操

耒耜而耕于野地薄而賦多不足以養其親則以其耕之暇讀書而爲文以干於有位者而取足焉喜之文章學西京而爲也舉進士十五六年矣雲長之文執事所自知其爲人淳重方實可任以事其文與喜相上下有劉述古者其文長於爲詩文麗而思深當今舉於禮部者其詩無與爲比而又工於應主司之試其爲人温良誠信無邪佞詐妄之心彊志而婉容和平而有立其趨事靜以敏著美名而負屈稱者其日已久矣有韋羣玉者京兆之從子其文有可取者

其進而未止者也其爲人賢而有材志剛而氣和樂於薦賢爲善其在家無子弟之過居京兆之側遇事輒爭不從其令而從其義求子弟之賢而能業其家者羣玉是也凡此四子皆可以當執事首薦而極論者主司疑焉則以辯之問焉則以告之未知焉則殷勤而語之期乎有成而後止可也有沈杞者張苰者尉遲汾者李紳者張後餘者李翊者或文或行皆出羣之才也凡此數子與之足以收人望得才實主司疑焉則與解之問焉則以對之廣求焉則以告之可

也往者陸相公司貢士考文章甚詳愈時亦幸在得中而未知陸之得人也其後一二年所與及第者皆赫然有聲原其所以亦由梁補闕肅王郎中礎佐之梁舉八人無有失者其餘則王皆與謀焉陸相之考文章甚詳也待梁與王如此不疑也梁與王舉人如此之當也至今以爲美談自後主司不能信人人亦無足信者故蔑蔑無聞今執事之與司貢士者有相信之資謀行之道惜乎其不可失也方今在朝廷者多以遊讌娛樂爲事獨執事耿然高舉有深思長慮

爲國家樹根本之道宜乎小子之以此言聞于左右也

爲人求薦書

善喻郤是昌黎本色

某聞木在山馬在肆遇之而不顧者雖日累千萬人未爲不材與下乘也及至匠石過之而不睨伯樂遇之而不顧然後知其非棟梁之材超逸之足也以某在公之宇下非一日而又辱居姻婭之後是生于匠石之園長于伯樂之廐者也於是而不得知假有見知者千萬人亦何足云今幸頼天子每歲詔公卿大夫貢士若某等比咸得以薦聞是以冒進其説以累於執事亦不自量已然執事其知某如何哉昔人有鬻馬不售於市者知伯樂之善相也從而求之伯樂一顧價增三倍某與其事頗相類是故終始言之耳

譬喻折入䟽中翻弄

以

結歸自身只一句

唐荆川曰辭簡意悲

錢豊寰曰以目盲摹寫或悲憤或慶幸或與望情詞雜出一一動人

忽喜忽悲情景如生

洶湧疊出可泣可涕

代張籍與李浙東書

獨以目盲一節感慨悲憤

月日前某官某謹東向再拜寓書浙東觀察使中丞李公閤下籍聞議論者皆云方今居古方伯連帥之職坐一方得專制於其境內者惟閤下心事犖犖與俗輩不同籍固以藏之胷中矣近者閤下從事李協律翺到京師籍於李君友也不見六七年聞其至馳往省之問無恙外不暇出一言且先賀其得賢主人李君曰子豈盡知之乎吾將盡言之數日籍益聞所

不聞籍私獨喜常以爲自今已後不復有如古人者於今忽有之退自悲不幸兩目不見物無用於天下胷中雖有知識家無錢財寸步不能自致今去李中丞五千里何由致其身於其人之側開口一吐出胷中之奇乎因飲泣不能語既數日復自奮曰無所能人乃宜以盲廢有所能人雖盲當廢於俗輩不當廢於行古人之道者浙水東七州戶不下數十萬不盲者何限李中丞取人固當問其賢不賢不當計其盲與不盲也當今盲於心者皆是若籍自謂獨盲於目

爾其心則能別是非若賜之坐而問之其口固能言也幸未死實欲一吐出心中平生所知見閤下能信而致之於門邪籍又善於古詩使其心不以憂衣食亂閤下無事時一致之座側使跪進其所有閤下憑几而聽之未必不如聽吹竹彈絲敲金擊石也夫盲者業專於藝必精故樂工皆盲籍儻可與此輩比並乎使籍誠不以蓄妻子憂飢寒亂心有錢財以濟醫藥其盲未甚庶幾其復見天地日月因得不廢則自今至死之年皆閤下之賜閤下濟之以巳絕之年賜之以既盲之視其恩輕重大小籍宜如何報也閤下裁之度之

應

結得不盡

錢豊寰曰馴雅明快

韓文公文抄卷之四

與陳生書

韓公本色

愈白陳生足下今之負名譽享顯榮者在上位幾人足下求速化之術不於其人迺以訪愈是所謂借聽於聾求道以盲雖其請之勤勤教之云云未有見其得者也愈之志在古道又甚好其言辭觀足下之書及十四篇之詩亦云有志於是矣而其所問則名所慕則科故愈疑於其對焉雖然厚意不可虚辱聊為

足下誦其所聞蓋君子病乎在己而順乎在天待己以信而事親以誠所謂病乎在己者仁義存乎內彼聖賢者推能而廣之而我蠢焉為衆人所謂順乎在天者貴賤窮通之來平吾心而隨順之不以累於其初所謂待己以信者己果能之人曰不能勿信也己果不能人曰能之勿信也孰信哉信乎己而已矣所謂事親以誠者盡其心不夸於外先乎其質而後乎其文者也盡其心不夸於外者不以己之得於外者為父母榮也名與位之謂也先乎其質者行也後乎

其文者飲食旨甘以其外物供養之道也誠者不欺之名也待於外而後爲養薄於質而厚於文斯其不類於欺歟果若是子之汲汲於科名以不得進爲親之羞者惑也速化之術如是而已古之學者惟義之問誠將學於大學愈猶守是說而竢見焉愈白

呂東萊曰中間四段鋪叙齊整

錢豊寰曰點綴情事慘然動人

與孟東野書

兩情淒切

與足下別久矣以吾心之思足下知足下懸懸於吾也各以事牽不可合并其於人人非足下之爲見而日與之處足下知吾心樂否也吾言之而聽者誰歟吾唱之而和者誰歟言無聽也唱無和也獨行而無徒也是非無所與同也足下知吾心樂否也足下才高氣清行古道處今世無田而衣食事親左右無違足下之用心勤矣足下之處身勞且苦矣混混與世

冷語點綴獨相知處

相濁獨其心追古人而從之足下之道其使吾悲也去年春脫汴州之亂幸不死無所於歸遂來於此主人與吾有故哀其窮居吾于符離睢上及秋將辭去因被留以職事默默在此行一年矣到今年秋聊復辭去江湖余樂也與足下終幸矣李習之娶吾亡兄之女期在後月朝夕當來此張籍在和州居喪家甚貧恐足下不知故具此白冀足下一來相視也自彼至此雖遠要皆舟行可至速圖之吾之望也

與李翺書

翻覆辯論揔不放倒自家地位

使至辱足下書歡愧來并不容于心嗟乎子之言意皆是也僕雖巧説何能逃其責耶然皆子之愛我多重我厚不酌時人待我之情而以子之待我之意使我望於時人也僕之家本窮空重遇攻劫衣服無所得養生之具無所有家累僅三十口攜此將安所歸託乎捨之入京不可也挈之而行不可也足下將安以爲我謀哉此一事耳足下謂我入京誠有所益乎

僕之有子猶有不知者時人能知我哉持僕所守驅而使奔走伺候公卿間開口論議其安能有以合乎僕在京城八九年無所取資日求於人以度時月當時行之不覺也今而思之如痛定之人思當痛之時不知何能自處也今年加長矣復驅之使就其故地是亦難矣所貴乎京師者不以明天子在上賢公卿在下布衣韋帶之士談道義者多乎以僕遑遑于其中能上聞而下達乎其知我者固少知而相愛不相忌者又加少內無所資外無所從終安所爲乎嗟乎

子之責我誠是也愛我誠多也今天下之人有如子者乎自堯舜以來士有不遇者乎無也子獨安能使我潔清不汚而處其所可樂哉非不願爲子之所云者力不足勢不便故也僕於此豈以爲大相知乎累累隨行役役逐隊饑而食飽而嬉者也其所以止而不去者以其心誠有愛於僕也然所愛於我者少不知我者猶多吾豈樂於此乎哉將亦有所病而求息於此也嗟乎子誠愛我矣子之所責於我者誠是矣然恐子有時不暇責我而悲我不暇悲我而自責且

此段言不入京之故

此段言留此之故

自悲也及之而後知履之而後難耳孔子稱顔回一簞食一瓢飲人不堪其憂回也不改其樂彼人者有聖者爲之依歸而又有簞食瓢飲足以不死其不憂而樂也豈不易哉若僕無所依歸無簞食無瓢飲無所取資則餓而死其不亦難乎子之聞我言亦悲矣嗟乎子亦慎其所之哉離違久乍還侍左右當日懽喜故專使馳此候足下意并以自解

更一轉

看六箇或字見深交有此六様崔群在外

與崔羣書

大較昌黎與崔群相知深故篇中情悃與諸篇不同

自足下離東都凡兩度枉問尋承已達宣州主人仁賢同列皆君子雖抱羇旅之念亦且可以度日無入而不自得樂天知命者固前修之所以禦外物者也況足下度越此等百千輩豈以出處近遠累其靈臺耶宣州雖稱清涼高爽然皆大江之南風土不並以北將息之道當先理其心心閒無事然後外患不入風氣所宜可以審備小小者亦當自不至矣足下之賢雖在窮約猶能不改其樂況地至近官榮祿厚親愛盡在左右者耶所以如此云云者以爲足下賢者宜在上位託於幕府則不爲得其所是以及之乃相親重之道耳非所以待足下者也僕自少至今從事於往還朋友間一十七年矣日月不爲不久所與交往相識者千百人非不多其相與如骨肉兄弟者亦且不少或以事同或以藝取或慕其一善或以其久故或初不甚知而與之已密其後無大惡因不復決

婉轉

捨或其人雖不皆入於善而於己已厚雖欲悔之不可凡諸淺者固不足道深者止如此至於心所仰服考之言行而無瑕尤窺之閫奧而不見畛域明白淳粹輝光日新者惟吾崔君一人僕愚陋無所知曉然聖人之書無所不讀其精粗巨細出入明晦雖不盡識抑不可謂不涉其流者也以此而推之以此而度之誠知足下出羣拔萃無謂僕何從而得之也與足下情義寧須言而後自明耶所以言者懼足下以爲吾所與深者多不置白黑於胷中耳既謂能麤知足

下而復懼足下之不我知亦過也比亦有人說足下誠盡善盡美抑猶有可疑者僕謂之曰何疑疑者曰君子當有所好惡好惡不可不明如清河者人無賢愚無不說其善伏其爲人以是而疑之耳僕應之曰鳳皇芝草賢愚皆以爲美瑞青天白日奴隸亦知其清明譬之食物至於遐方異味則有嗜者有不嗜者至於稻也粱也膾也胾也豈聞有不嗜者哉疑者乃解解不解於我崔君無所損益也自古賢者少不肖者多自省事已來又見賢者恒不遇不賢者比肩青

紫賢者恒無以自存不賢者志滿氣得賢者雖得卑位則旋而死不賢者或至眉壽不知造物者意竟如何無乃所好惡與人異心哉又不知無乃都不省記任其死生壽夭耶未可知也人固有薄卿相之官千乘之位而甘陋巷菜羹者同是人也猶有好惡如此之異者況天之與人當必異其所好惡無疑也合於天而乖於人何害況又時有兼得者耶崔君崔君無怠無怠僕無以自全活者從一官於此轉困窮甚思自放於伊潁之上當亦終得之近者尤衰憊左車第

二牙無故動搖脫去目視昏花尋常間便不分人顏色兩鬢半白頭髮五分亦白其一鬚亦有一莖兩莖白者僕家不幸諸父諸兄皆康強早世如僕者又可以圖於久長哉以此忽忽思與足下相見一道其懷小兒女滿前能不顧念足下何由得歸北來僕不樂江南官滿便終老嵩下足下可相就僕不可去矣珍重自愛慎飲食少思慮惟此之望

與衛中行書

公之卓然自立處固佳

大受足下辱書爲賜甚大然所稱道過盛豈所謂誘之而欲其至於是歟不敢當不敢當其中擇其一二近似者而竊取之則於交友忠而不反於背面者少似近焉亦其心之所好耳行之不倦則未敢自謂能爾也不敢當不敢當至於汲汲於富貴以救世爲事者皆聖賢之事業知其智能謀力能任者也如愈者又焉能之始相識時方甚貧衣食於人其後相見於

汴徐二州僕皆爲之從事日月有所入比之前時豐約百倍足下視吾飲食衣服亦有異乎然則僕之心或不爲此汲汲也其所不忘於仕進者亦將小行乎其志耳此未易遽言也凡禍福吉凶之來似不在我惟君子得禍爲不幸而小人得禍爲恒君子得福爲恒而小人得福爲幸以其所爲似有以取之也必曰君子則吉小人則凶者不可也賢不肖存乎己貴與賤禍與福存乎天名聲之善惡存乎人存乎己者吾將勉之存乎天存乎人者吾將任彼而不用吾力焉

其所守者豈不約而易行哉足下曰命之窮通自我爲之吾恐未合於道足下徵前世而言之則知矣若曰以道德爲已任窮通之來不接吾心則可也窮居荒涼草樹茂密出無驢馬因與人絕一室之內有以自娛足下喜吾復脫禍亂不當安安而居遲遲而來也

與少室李拾遺書

婉曲

伏承天恩詔河南敦諭拾遺公朝廷之士引頸東望若景星鳳皇之始見也爭先覩之爲快方今天子仁聖小大之事皆出宰相樂善言如不得聞自卽大位巳來於今四年凡所施者無不得宜勤儉之聲寛大之政幽閨婦女草野小人皆飽聞而厭道之愈不通於古請問先生世非太平之運歟加又有非人力而至者年穀熟衍符貺委至若干紀之姦不戰而拘累

彊梁之兇銷鑠縮栗迎風而委伏其有一事未就正自視若不成人四海之所環無一夫甲而兵者若此時也拾遺公不疾起與天下之士君子樂成而享之斯無時矣昔者孔子知不可爲而爲之不巳足跡接於諸侯之國卽可爲之時自藏深山牢關而固距卽與仁義者異守矣想拾遺公冠帶就車惠然肯來舒所蓄積以補綴盛德之有闕遺利加於時名垂於將來踊躍悚企傾刻以冀又竊聞朝廷之議必起拾遺公使者往若不許卽河南必繼以行拾遺徵君若不

至必加高秩如是則辭少就多傷於廉而害於義拾
（此一轉翻得好）
遺公必不爲也善人斯進其類皆有望於拾遺公拾
遺公儻不爲起使衆善人不與斯人施也由拾遺公
（一轉何等情曲）
而使天子不盡得良臣君子不盡得顯位人庶不盡
被惠利其害不爲細必望審察而遠思之務使合於
孔子之道幸甚

錢豐寰曰直截慷慨其時昌黎從事軍中其文亦有躍馬揮戈之氣

與鄂州柳中丞書

氣味古雅入西漢不假雕斲

淮右殘孽尚守巢窟環寇之師殆且十萬瞋目語難自以爲武人不肯循法度頡頏作氣勢竊爵位自尊大者肩相摩地相屬也不聞有一人援桴鼓誓衆而前者但日令走馬來求賞給助寇爲聲勢而已閣下書生也詩書禮樂是習仁義是修法度是束一旦去文就武鼓三軍而進之陳師鞠旅親與爲辛苦慷慨感激同食下卒將二州之牧以壯士氣斬所乘馬以祭踶死之士雖古名將何以加茲此由天資忠孝鬱於中而大作於外動皆中於機會以取勝於當世而爲戎臣師豈常習於威暴之事而樂其鬬戰之危也哉愈誠怯弱不適於用聽於下風竊自增氣誇於中朝稠人廣衆會集之中所以羞武夫之顏令議者知將國兵而爲人之司命者不在彼而在此也臨敵重慎誡輕出入良用自愛以副見慕之徒之心而果爲國立大功也幸甚幸甚

叙雅有點綴

一句一收有力

錢豊寰曰粗豪雄偉自是大家言

識朗鑒洞

再與鄂州柳中丞書

論兵機宜更勝前篇

愈愚不能量事勢可否比常念淮右以靡弊困頓三州之地蚊蚋蟻蝱之聚感兇豎煦濡飲食之惠提童子之手坐之堂上奉以爲帥出死力以抗逆明詔戰天下之兵乘機逐利四出侵暴屠燒縣邑賊殺不辜環其地數千里莫不被其毒洛汝襄荆許潁淮江爲之騷然丞相公卿士大夫勞於圖議握兵之將熊羆貙虎之士畏懦蹴蹜莫肯杖戈爲士卒前行者獨閣

古雅

下奮然率先揚兵界上將二州之守親出入行間與士卒均辛苦生其氣勢見將軍之鋒潁凜然有向敵之意用儒雅文字章句之業取先天下武夫關其口而奪之氣愚初聞時方食不覺棄匕箸起立豈以爲閣下眞能引孤軍單進與死寇角逐爭一旦僥倖之利哉就令如是亦不足貴其所以服人心在行事適機宜而風采可畏愛故也是以前狀輒述鄙誠眷惠手翰還答益增忻慄夫一衆人心力耳目使所至如時雨三代用師不出是道閣下果能充其言繼之以

句法都好

極中肯綮

無倦得形便之地甲兵足用雖國家故所失地旬歲可坐而得況此小寇安足置齒牙間勉而卒之以俟其至幸甚夫遠徵軍士行者有覊旅離別之思居者有怨曠騷動之憂本軍有饋餉煩費之難地主多姑息形迹之患急之則怨緩之則不用命浮寄孤懸形勢銷弱又與賊不相諳委臨敵恐駭難以有功若召募土人必得豪勇與賊相熟知其氣力所極無望風之驚愛護鄉里勇於自戰徵兵滿萬不如召募數千閣下以爲何如儻可上聞行之否計已與裴中丞相見行營事宜不惜時賜示幸甚不宜

徵兵之失

募兵之得

與李秘論小功不稅書

明辯

曾子稱小功不稅則是遠兄弟終無服也而可乎鄭玄注云以情責情今之士人遂引此不追服小功小功服最多親則叔父之下殤與適孫之下殤與昆弟之下殤尊則外祖父母常服則從祖祖父母禮沿人情其不可不服也明矣古之人行役不踰時各相與處一國其不追服雖不可猶至少今之人男出仕女出嫁或千里之外家貧訃告不及時則是不服小功

者恒多而服小功者恒鮮矣君子之於骨肉死則悲哀而爲之服者豈牽於外哉聞其死則悲哀豈有間於新故死哉今特以訃告不及時聞死出其日數則不服其可乎愈常怪此近出弔人見其顔色慼慼類有喪者而其服則吉問之則云小功不稅者也禮文殘缺師道不傳不識禮之所謂不稅果不追服乎無乃別有所指而傳注者失其宗乎伏惟兄道德純明躬行古道如此之類必經於心而有所決定不惜示及幸甚

與馮宿論文書

中有論文章之旨亦近名言

辱示初筮賦實有意思但力爲之古人不難到但不知直似古人亦何得於今人也僕爲文久每自則意中以爲好則人必以爲惡矣小稱意人亦小怪之大稱意卽人必大怪之也時時應事作俗下文字下筆令人慚及示人則人以爲好矣小慚者亦蒙謂之小好大慚者卽必以爲大好矣不知古文直何用於今世也然以竢知者知耳昔楊子雲著太玄人皆笑之

子雲之言曰世不我知無害也後世復有楊子雲必好之矣子雲死近千載竟未有楊子雲可歎也其時桓譚亦以爲雄書勝老子老子未足道也子雲豈止與老子爭彊而已乎此未爲知雄者其弟子侯芭頗知之以爲其師之書勝周易然侯之他文不見於世不知其人果如何耳以此而言作者不祈人之知也明矣直百世以竢聖人而不惑質諸鬼神而無疑耳足下豈不謂然乎近李翺從僕學文頗有所得然其人家貧多事未能卒其業有張籍者年長於翺而亦

學於僕其文與翺相上下一二年業之庶幾乎至也
然閔其棄俗尚而從於寂寞之道以之爭名於時也
久不談聊感足下能自進於此故復發憤一道

答劉正夫書

文公教人作文大意要自樹立不尋常不取悅於今世所謂能自樹立不因尋常等郎公本來面目

愈白進士劉君足下辱牋教以所不及既荷厚賜且愧其誠然幸甚幸甚凡舉進士者於先進之門何所不往先進之於後輩苟見其至寧可以不答其意邪來者則接之舉城士大夫莫不皆然而愈不幸獨有接後輩名名之所存謗之所歸也有來問者不敢不

以誠答或問爲文宜何師必謹對曰宜師古聖賢人曰古聖賢人所爲書具存辭皆不同宜何師必謹對曰師其意不師其辭又問曰文宜易宜難必謹對曰無難易惟其是爾如是而已非固開其爲此而禁其爲彼也夫百物朝夕所見者人皆不注視也及覩其異者則共觀而言之夫文豈異於是乎漢朝人莫不能爲文獨司馬相如太史公劉向楊雄爲之最然則用功深者其收名也遠若皆與世沉浮不自樹立雖不爲當時所怪亦必無後世之傳也足下家中百物

皆賴而用也然其所珍愛者必非常物夫君子之於文豈異於是乎今後進之爲文能深探而力取之以古聖賢人爲法者雖未必皆是要若有司馬相如太史公劉向揚雄之徒出必自於此不自於循常之徒也若聖人之道不用文則已用則必尚其能能者非他能自樹立不因循者是也有文字來誰不爲文然其存於今者必其能者也顧常以此爲說耳愈於足下忝同道而先進者又常從遊於賢尊給事既辱厚賜又安得不進其所有以爲答也足下以爲何如

愈白

答李翊書

要窺作家爲文必如此立根基今人乃欲以
句字求之何哉

六月二十六日愈白李生足下生之書辭甚高而其問何下而恭也能如是誰不欲告生以其道道德之歸也有日矣況其外之文乎抑愈所謂望孔子之門牆而不入于其宮者焉足以知是且非邪雖然不可不爲生言之生所謂立言者是也生所爲者與所期者甚似而幾矣抑不知生之志蘄勝於人而取於人

邪將蘄至於古之立言者邪蘄勝於人而取於人則固勝於人而可取於人矣將蘄至於古之立言者則無望其速成無誘於勢利養其根而竢其實加其膏而希其光根之茂者其實遂膏之沃者其光曄仁義之人其言藹如也抑又有難者愈之所爲不自知其至猶未也雖然學之二十餘年矣始者非三代兩漢之書不敢觀非聖人之志不敢存處若忘行若遺儼乎其若思茫乎其若迷當其取於心而注於手也惟陳言之務去戛戛乎其難哉其觀於人不知其非笑

名言

第一級

之爲非笑也如是者亦有年猶不改然後識古書之正僞與雖正而不至焉者昭昭然白黑分矣而務去之乃徐有得也當其取於心而注於手也汨汨然來矣其觀於人也笑之則以爲喜譽之則以爲憂以其猶有人之說者存也如是者亦有年然後浩乎其沛然矣吾又懼其雜也迎而距之平心而察之其皆醇也然後肆焉雖然不可以不養也行之乎仁義之途游之乎詩書之源無迷其途無絕其源終吾身而已矣氣水也言浮物也水大而物之浮者大小畢浮氣

之與言猶是也氣盛則言之短長與聲之高下者皆宜雖如是其敢自謂幾於成乎雖幾於成其用於人也奚取焉雖然待用於人者其肖於器邪用與舍屬諸人君子則不然處心有道行己有方用則施諸人舍則傳諸其徒垂諸文而爲後世法如是者其亦足樂乎其無足樂也有志乎古者希矣志乎古必遺乎今吾誠樂而悲之亟稱其人所以勸之非敢褒其可褒而貶其可貶也問於愈者多矣念生之言不志乎利聊相爲言之

唐荊川曰此文當看抑揚轉換處纍纍然如貫珠其此文之謂乎